Neocalvinismo

Neocalvinismo

Tradição e fundamentos

TIAGO DE MELO NOVAIS

MUNDO CRISTÃO

Os textos bíblicos foram extraídos da *Nova Versão Transformadora* (NVT), da Tyndale House Foundation, salvo indicação específica.

Imagem de capa: Nathan Dumlao / Unsplash

CIP-Brasil. Catalogação na publicação
Sindicato Nacional dos Editores de Livros, RJ

N821n
Novais, Tiago de Melo
Neocalvinismo : tradição e fundamentos / Tiago de Melo Novais. - 1. ed. - São Paulo : Mundo Cristão, 2022.
92 p. (Sementes)

ISBN 978-65-5988-123-9

1. Calvinismo. 2. Teologia cristã. 3. Igrejas reformadas - Doutrinas. I. Título.

22-77671 CDD: 230.42
CDU: 275.4

Meri Gleice Rodrigues de Souza - Bibliotecária - CRB-7/6439

Categoria: Teologia
1ª edição: julho de 2022
1ª reimpressão: 2022

Edição
Daniel Faria

Revisão
Natália Custódio

Produção
Felipe Marques

Diagramação
Marina Timm

Colaboração
Ana Luiza Ferreira

Capa
Ricardo Shoji

Publicado no Brasil com todos direitos reservados por:

Editora Mundo Cristão
Rua Antônio Carlos Tacconi, 6
São Paulo, SP, Brasil
CEP 04810-020
Telefone: (11) 2127-4147
www.mundocristao.com.br

Sumário

Prefácio

A igreja evangélica brasileira encontra-se num ponto crucial: por um lado, possui número e posição suficientes para não ser mais ignorada nos debates públicos políticos e culturais. Por outro, parece não conseguir desenvolver uma ideia do que seja um modo distintivamente cristão de estar na sociedade. Nesse impasse, o neocalvinismo pode oferecer um modelo coerente com a tradição protestante e pertinente para os tempos atuais.

A missão da tradição neocalvinista é ambiciosa: manifestar a soberania de Cristo sobre todas as áreas da vida. Além da particular dificuldade de sermos fiéis ao Espírito em sua batalha contra a carnalidade, padecemos também de dificuldades de conceituação. Antes de resolvermos o problema do cristão no mundo, precisamos definir quem é esse cristão e qual é esse mundo.

Para a definição do primeiro termo, os teólogos neocalvinistas fazem uma afirmação de identidade dentro das várias possibilidades da cristandade: assumem-se como reformados, marcados, portanto, pelo apreço máximo pela revelação de Deus nas Escrituras. O cristão de que se fala aqui não o é por simples nome ou tradição, mas é aquele que deriva seu entendimento do mundo da Palavra de Deus. Forma-se então uma maneira particular de interpretar a vida tendo a Revelação como referencial principal: a cosmovisão cristã.

É dessa cosmovisão (literalmente, "visão de mundo") que se estabelece um entendimento teológico sobre a existência. Segundo a Revelação, o mundo está na situação contraditória de ser a boa obra do bom Deus, mas em condição de queda. Por essa razão, o agir de Deus no mundo é um agir redentivo. O mundo não é desprezível, uma vez que é boa obra de Deus, mas também não é perfeito, já que se encontra sob pecado. Há um mover de Deus de submeter todas as coisas totalmente à sua soberania.

Nos últimos anos, conceitos relacionados ao neocalvinismo — como "cosmovisão" e "esferas de soberania" — aparecem com frequência nos debates sobre a relação entre Igreja e sociedade no Brasil. Infelizmente, a aproximação dos cristãos brasileiros a esses conceitos nem sempre gera as melhores atitudes. Alguns têm justificado uma atuação moralista, dominionista e até autoritária a partir de um entendimento confuso das contribuições do pensador holandês Abraham Kuyper e seus sucessores.

O presente livro é uma introdução muito necessária nesse contexto conturbado. Com habilidade e clareza, Tiago de Melo Novais conduz o leitor pela vida e as ideias de três importantes nomes da tradição neocalvinista, Kuyper, Bavinck e Dooyeweerd, apontando as características comuns da obra desses pensadores e suas distinções particulares. Em poucas páginas, somos apresentados a uma tradição rica e relevante para o nosso tempo. Longe da visão triunfalista de parte do evangelicalismo brasileiro contemporâneo, encontramos aqui uma vibrante proposta de vida cristã saudável e benéfica em um mundo carente de graça.

Carlos "Cacau" Marques
Pastor na Igreja Batista Vida Nova, em Nova Odessa (SP), e professor na Faculdade Teológica Batista de Campinas (SP)

Introdução

Em um ano de intensas buscas teológicas em minha vida, no primeiro semestre de minha graduação, peguei emprestado um livro cujo título me chamou a atenção pela simplicidade. Imaginei estar em contato com mais um tratado sobre a vertente doutrinária que afirma as ideias acerca da salvação através da herança deixada pelo reformador francês do século 16, João Calvino. O livro em questão era de autoria de Abraham Kuyper e recebeu em português o título *Calvinismo*.

As primeiras linhas, porém, já me deixaram confuso. Além da linguagem aparentemente arcaica e difícil de ler, o texto não tratava das doutrinas da graça, nem da predestinação, nem da perseverança dos santos, nem de nenhuma outra nomenclatura que me fosse familiar. Kuyper falava sobre o calvinismo para além do que eu conhecia sobre o calvinismo. Na obra, o teólogo holandês discutia uma proposta de cristianismo que buscava em si mesmo o material necessário para dialogar com seus pares contemporâneos. Via nas necessidades de seu tempo um meio para repensar o modo como o cristão responde ao mundo. De modo incisivo — o livro consistia em uma adaptação de palestras do autor —, Kuyper me instigou profundamente ao discorrer sobre uma graça que tem implicações na vida de hoje, no aqui e agora. É claro que o maior desafio veio depois, quando vim a ter maior capacidade para compreendê-lo. Mesmo ali, contudo, nas páginas iniciais, eu já havia entendido que o caminho que o autor me propunha era muito mais amplo do que eu imaginava.

Só depois pude ter contato com outros autores que herdaram o pensamento de Kuyper. Li, novamente limitado por minha incapacidade intelectual, uma introdução da filosofia de Herman Dooyeweerd, que dialoga com muitos nomes importantes da filosofia moderna. Depois, peguei gosto: fiz cursos sobre o pensador, ouvi palestras de sua vida e li seus livros traduzidos, até que tomei conhecimento de que suas principais obras ainda não haviam sido traduzidas para o português e por isso me arrisquei no universo de língua estrangeira da filosofia cosmonômica, como ela é chamada pelos pensadores dessa corrente. Também tive contato com a vasta obra de Herman Bavinck e sua teologia sistemática, cuja complexidade demandaria uma vida inteira de dedicação para ser devidamente compreendida. Ademais, percebi que outros inúmeros autores contemporâneos, de uma forma ou de outra, deram continuidade ao trabalho desempenhado por seus mentores intelectuais, e que juntos perfazem uma mesma tradição.

Ocorreu-me, então, que eu estava em uma jornada de aprendizado de uma nova e surpreendente perspectiva dentro da grande tradição cristã: o neocalvinismo.

O neocalvinismo teve início na Holanda do século 19, mas encontrou eco em diferentes países do mundo, principalmente porque se apresenta como uma via possível de resposta protestante aos dilemas da modernidade. Sua herança é calviniana[1] e, por meio de tal referencial, ofereceu, principalmente na Holanda, contribuições aos novos paradigmas público-políticos que surgiram

[1] Apesar de tributários da tradição calvinista como um todo, a figura de João Calvino é central para o neocalvinismo. Assim, calviniano refere-se à herança direta das obras do reformador francês.

na esteira da Revolução Francesa. Assim, por meio do vetor calvinista clássico, a tradição deseja assistir os contextos de suas contemporaneidades, tanto do século 19 e 20 quanto dos dias de hoje, nos quais se nota um crescente interesse por seus autores e obras.[2] Podemos sintetizar essa característica com as palavras do neocalvinista sul-africano Craig Bartholomew:

> Somos sempre chamados a seguir Cristo juntos em meio a nossas culturas e contextos históricos particulares, e nesses contextos a "buscar o bem-estar da cidade" (Jr 29.7). [...] Somos chamados e desejamos seguir a Cristo; só o podemos fazer hoje, em nosso contexto e em nossas circunstâncias atuais.[3]

Então, o desafio colocado pelo neocalvinismo é o de responder, nas conjunturas sociais particulares, às demandas da vida como um todo dentro dessa lógica religiosa. Para que isso seja possível, os autores da tradição se dedicam a desenvolver meios

[2] Nos últimos anos as obras de neocalvinistas estão sendo traduzidas como nunca antes para o português, tanto de obras originais quanto de compilações de autores neocalvinistas.

[3] Bartholomew, *Contours of the Kuyperian Tradition*, p. 1.

de eliminar teoricamente qualquer divisão estanque entre âmbitos religiosos e públicos, ou sagrados e profanos, uma vez que dicotomias do tipo configuram uma contradição em seu entendimento das Escrituras.

Dessa forma, o anseio por resolução dos desafios contemporâneos e contextuais se origina da necessidade da integralidade cristã. Essa, aliás, é uma marca importante do neocalvinismo. Dito de outra forma, na perspectiva neocalvinista o esforço cristão contemporâneo pode ser apresentado da seguinte maneira:

> O desafio — e é particularmente urgente hoje em dia — para os cristãos é desenvolver uma cosmovisão cristã integralmente bíblica e viver de forma criativa e, portanto, plausível a partir dessa perspectiva em nossos contextos particulares. Precisamos tomar consciência de nossos óculos e ativamente nos assegurar de que, na medida do possível, olhamos com olhos integralmente cristãos para o mundo.[4]

Convém dizer, todavia, que o surgimento do neocalvinismo não pode ser compreendido se não

[4] Ibid., p. 9.

for visto por meio do profundo impacto da Modernidade na sociedade europeia da segunda metade do século 19. Mais especificamente, os ideais filosóficos e científicos lançados pelo Iluminismo, concretizados nas novas configurações sociais e econômicas da Revolução Francesa e Industrial, que geraram novas compreensões da vida e da sociedade na Europa, inclusive na religião cristã.

No entanto, é difícil tarefa definir, com pretensa exatidão, o que caracteriza o período da Modernidade. O que se pode fazer é observar o incômodo sentido pelos primeiros neocalvinistas com alguns dos princípios gerados nesse período. Apesar de muitas, as críticas neocalvinistas recaem sobretudo na percepção de que a Modernidade desencadeou na sociedade europeia um modo autônomo (sem Deus) de existência humana. Essa característica foi tanto denunciada por Kuyper, ao falar do *modernismo* como modo de vida sem Deus, como por Dooyeweerd, ao descrever o *motivo-base religioso* que move a Modernidade, marcado pela autonomia da razão e a liberdade humanista.

De todo modo, o juízo negativo dos neocalvinistas não anula a validade do argumento sobre o que é a Modernidade, uma vez que o neocalvinismo aqui não parece estar em dissonância com a concepção dos historiadores, conforme nos lembra Alister McGrath:

> [...] para muitos historiadores, a expressão "modernidade" refere-se a um cenário bastante definido, típico de grande parte do pensamento ocidental desde o começo do século dezoito, que se caracteriza por uma confiança em relação à capacidade do ser humano de pensar por si mesmo.[5]

Apesar do reconhecimento de Kuyper dos produtos positivos da Modernidade, como o "alcance intelectual", a coragem e "consistência do modernismo",[6] a perspectiva neocalvinista procura denunciar o "sistema de vida"[7] gerado pelo princípio da autonomia. É nesse sentido que encontramos um tipo de embate entre o cristianismo e

[5] McGrath, *Teologia sistemática, histórica e filosófica*, p. 124.

[6] Bartholomew, *Contours of the Kuyperian Tradition*, p. 22.

[7] Essa expressão utilizada por Kuyper nas Palestras Stone, na Universidade de Princeton, em 1898, é o equivalente ao significado da palavra alemã *Weltanschauung*, que por sua vez foi traduzida para o português como cosmovisão ou visão de mundo.

o modernismo:[8] o primeiro compreende o mundo a partir da submissão a Deus, enquanto o segundo se compromete a transformar o mundo a sua volta a partir do "homem natural".[9]

Portanto, a nova sociedade europeia, revestida de autonomia rumo ao desenvolvimento do mundo e dos arranjos sociais, fez sentir também na religião cristã suas implicações e, no que aqui nos interessa, provocou o início do neocalvinismo. Assim, o potencial secularizador das Revoluções e os princípios do Iluminismo serviram de propulsores sociais para a resposta neocalvinista, cujo rico e influente conteúdo procuraremos apresentar resumidamente ao longo desta obra.

[8] Modernismo é a palavra, provavelmente usada pela primeira vez por Kuyper, para se referir à cosmovisão da Modernidade (ver Bartholomew, *Contours of the Kuyperian Tradition*, p. 22). Em um de seus textos, Kuyper define o modernismo ao fazer referência à lenda sobre a feiticeira meia-irmã do Rei Arthur conhecida como Fada Morgana, que supostamente tinha a capacidade de mudar a aparência das coisas. Kuyper intitulou um de seus textos como "Modernismo: a Fada Morgana no campo cristão", a fim de denunciar a ilusão causada pela visão de mundo moderna (ver Kuyper, *Het Modernisme een Fata morgana op Christelijk gebied*).
[9] Kuyper, *Calvinismo*, p. 19.

1

O surgimento do neocalvinismo em Kuyper

Ainda que o Iluminismo tenha introduzido insegurança e incerteza no cristianismo em geral, a concretização de seus ideais na Revolução Francesa acabou também por impulsionar a necessidade de novos formatos e respostas por parte da fé cristã. Esses fenômenos modernos foram cruciais para o nascimento da tradição que estamos explorando, principalmente por seu impacto na vida de seu precursor, Abraham Kuyper. Como afirma Guilherme de Carvalho: "Não seria muito dizer que ele foi um reformador pós-iluminista do cristianismo, renovando o protestantismo para se engajar com a modernidade".[1]

Kuyper (1837–1920) nasceu no contexto de uma família simples, na cidade de Massluis, em 29 de outubro de 1837, filho de pais protestantes.

[1] Carvalho, "Prefácio", p. 10.

Sua mãe, ex-governanta, havia se tornado com esforço uma educadora, enquanto seu pai, após a formação acadêmica teológica, tornou-se pastor local da Igreja Reformada da Holanda. Sua família foi influenciada pelo *Réveil* ("despertamento", em francês) evangélico europeu, que desencadeou uma série de mudanças no tom da fé reformada e a tornou novamente uma opção plausível para a espiritualidade do continente no século 19.

Sua formação superior em Leiden no curso de teologia lhe forneceu os subsídios teóricos para desenvolver sua vida intelectual, iniciada muito cedo no Ginásio de Leiden, que foi como um mergulho nas ciências humanas e na literatura. Sua vida universitária, porém, foi marcada pelas vias do liberalismo teológico, sobretudo na figura de um de seus professores mais marcantes, Joannes Henricus Scholten, também seu mentor e orientador acadêmico.

Em termos gerais, o liberalismo em que Kuyper foi formado era, a exemplo do que seria o neocalvinismo décadas depois, uma nova forma de responder aos desafios da Modernidade. No caso do liberalismo, porém, tratava-se de uma acomodação hermenêutica, ao utilizar os princípios de seu tempo em sua visão religiosa. Conforme definiu McGrath: "O liberalismo, pressentindo as prováveis dificuldades em basear a fé cristã em um apelo exclusivo às Escrituras e à pessoa de Jesus Cristo, buscou ancorar essa fé na experiência do homem comum e interpretá-la de formas que fizessem sentido para a visão moderna".[2]

Por interesse, Kuyper estendeu sua formação acadêmica até a conclusão do doutorado em 1862, aos 25 anos. Em seguida, decidiu candidatar-se ao ministério pastoral e foi enviado a uma igreja rural na aldeia de Beesd. Após o início de sua carreira ministerial, sua vida mudou completamente. Kuyper passou por uma experiência de conversão, tanto espiritual quanto teológica. Nas palavras de seu biógrafo Jan de Bruijn:

> Em Beesd, Kuyper afastou-se do movimento racionalista em teologia e converteu-se à ortodoxia calvinista. Com sua natureza melancólica e lógica rigorosa, o calvinismo respondeu às necessidades mais profundas da personalidade sensível e irrequieta de Abraham. Romântico por natureza, com uma inclinação para o extremo e o ideal, procurou e encontrou no

[2] McGrath, *Teologia sistemática, histórica e filosófica*, p. 139.

calvinismo "o poder do absoluto", que seria um princípio orientador em sua vida a partir de então.[3]

Podemos dizer que, para Kuyper, ocorreu uma mudança radical em sua forma de vida, a descoberta de uma nova opção teológica para reagir aos fenômenos do ceticismo religioso que rondava a Europa. Primeiro, ele passou por uma conversão religiosa que o despertou para o significado de ser cristão, para além de seu papel de teólogo ou pastor. Segundo, alguns anos depois, experienciou uma conversão teológica, pela qual encontrou na antiga ortodoxia calvinista um chão firme.

Com isso, Kuyper passou a ver sua educação liberal como um problema que havia minado sua espiritualidade e vida ministerial, destacando as dificuldades que a dúvida extrema lhe havia causado: "Minha fé não estava enraizada profundamente em minha alma não convertida e egocêntrica, e achava-se forçada a murchar uma vez exposta ao calor abrasador do espírito da dúvida".[4] Mais tarde, Kuyper se referiu ao liberalismo

[3] De Bruijn, *Abraham Kuyper*, p. 41.

[4] Bratt, *Abraham Kuyper*, cap. 2.

teológico como um "modernismo teológico", que não contém "realidade" alguma em sua visão da Igreja. Ou seja:

> Nenhum Deus real, nenhuma oração real, nenhum governo divino real, a realidade da vida humana sob ameaça, nenhum pecado real, nenhum ideal real, nenhuma história genuína, nenhuma crítica verdadeira, nenhum dogma que pudesse resistir ao crivo, nem uma igreja real.[5]

Foi entre 1870 e 1872, no período entre pastorado, mudança de igrejas e continuação dos estudos, que Kuyper acabou assumindo a função de editor-chefe de dois jornais, um de periodicidade semanal e outro diário, fundado por ele: *De Heraut* (O Arauto), que tratava principalmente sobre a liberdade da Igreja e das escolas em relação ao Estado; e *De Standaard* (O Estandarte), que discutia diariamente a política sob o ponto de vista calvinista e com aspiração antirrevolucionária. Neles, o teólogo escreveu durante 47 anos seguidos. Assim, Kuyper foi se tornando cada vez mais

[5] Citado em Bartholomew, *Contours of the Kuyperian Tradition*, p. 24.

conhecido, sobretudo por escrever em jornais acerca da relação entre teologia e as questões públicas da sociedade holandesa.

Importa dizer que o diálogo da fé e vida pública em Kuyper guarda íntima relação com a influência exercida pelo historiador aristocrata Groen van Prinsterer (1810–1876), personagem fundamental para o neocalvinismo em geral, em virtude de sua capacidade de articular a fé calvinista com a prática pública. Foi ele também o responsável por iniciar o movimento antirrevolucionário na Holanda, ao qual Kuyper se juntou e pelo qual adquiriu os *insights* que posteriormente se tornaram suas críticas à Revolução Francesa. No livro *Incredulidade e revolução*, van Prinsterer trata a Revolução como um médico incompetente que ajuda nos sintomas mas não chega à causa da enfermidade. Assim, o princípio da Revolução, a verdadeira causa, era a incredulidade que propunha a autoridade humana acima de tudo o mais:

> O que pode ser aprendido com a experiência da era revolucionária? Que o homem, sem Deus, mesmo com as circunstâncias a seu favor, nada mais pode fazer do que realizar a própria destruição. O homem

deve romper o círculo vicioso revolucionário: deve voltar-se para Deus, cuja verdade somente pode resistir ao poder do erro.[6]

Seguindo van Prinsterer, Kuyper também atribuiu ao princípio da Revolução (a incredulidade) um fator anticristão, ainda que reconheça o agir positivo de Deus em alguns efeitos que proporcionaram certo progresso social.

Já imbuído desses novos ideais, Kuyper tentou sua candidatura ao Parlamento em 1871, mas perdeu. No entanto, em virtude da visibilidade que ganhou com os jornais em que escrevia, conseguiu vencer a eleição para integrar a segunda Câmara da Holanda (ou Casa Baixa) em 1874, transitando a atenção de sua vida na Igreja para os assuntos políticos.

O historiador van Prinsterer, com suas aspirações românticas e idealistas, além de permanecer a favor da monarquia e contra a separação de Igreja e Estado, pendia para um conservadorismo político, mais saudosista da configuração feudal. Apesar de sua admiração a van Prinsterer e de

[6] van Prinsterer, *Incredulidad y Revolución*, p. 17.

sua consideração pela mentoria que recebeu dele, Kuyper se afastou dessas tendências quando assumiu a liderança do movimento antirrevolucionário. Dessa forma, contrariou até mesmo alguns aliados que se alinhavam com a aristocracia.

Em 1879, por "urgente necessidade confessional",[7] Kuyper organizou o primeiro partido cristão democrata moderno do mundo,[8] com o mesmo nome do movimento: *Anti-Revolutionaire Partij*, ou Partido Antirrevolucionário. Assim, em seu propósito e ideal a favor dos mais simples da Holanda, ele teve grande sucesso, como lembrou o cientista político David Koyzis, por ter sido "capaz de combinar o calvinismo ortodoxo com um foco político mais progressista, defendendo os direitos da *kleine luyden*, a 'gente pequena', que ainda era excluída da participação ativa no corpo político".[9]

Daí em diante, Kuyper foi cada vez mais a fundo na vida política, com algumas preocupações especiais: a liberdade para uma educação confessional (cristã ou não) com reconhecimento governamental;

[7] BARTHOLOMEW, *Contours of the Kuyperian Tradition*, p. 194.

[8] KOYZIS, *Visões & ilusões políticas*, p. 274.

[9] Ibid., p. 274.

a liberdade da Igreja em relação ao Estado; e a democracia.[10] O que estava por trás de seus focos políticos era um dos principais conceitos teológicos do neocalvinismo, o qual Kuyper chamou de *soberania das esferas* e que abordaremos com mais detalhes em outro volume. Basicamente, a ideia estabelece os limites de atuação de cada esfera da sociedade, que representam as diferentes partes autônomas do mesmo "organismo" (a sociedade). Ou seja, para Kuyper, Deus estabeleceu na criação do mundo os potenciais para o desenvolvimento social em esferas distintas umas das outras, mas todas derivando sua autoridade do próprio Deus.

Ancorado nessa ideia, Kuyper fundou em 1880 a Universidade Livre de Amsterdã. Em sua inauguração, pronunciou a conhecida palestra intitulada "Soberania das esferas". No entanto, a criação da universidade só foi possível com a ajuda financeira de pessoas simples interessadas em auxiliar na construção de uma instituição de ensino

[10] O biógrafo de Bruijn narra que Kuyper teve até mesmo grande discussão com membros de seu partido em favor do sufrágio e contra o conservadorismo, que na época não permitia essa realização política.

superior desvinculada do Estado e da Igreja, mas com confissão calvinista e destinada inicialmente ao povo reformado.

Kuyper permaneceu como membro da Câmara e professor da Universidade Livre até 1901, quando assumiu a posição mais importante da política holandesa, a de primeiro-ministro, que ocupou de 1901 a 1905. Enquanto político de maior autoridade, continuou com as lutas que idealizou em seu partido, mas também realizou uma coalizão entre protestantes e católicos na política. Até sua morte em 1920, Kuyper permaneceu engajado na vida pública, escrevendo em livros e jornais sobre diversos assuntos, como teologia, política, cultura, arte e ciência.[11]

Sobre a personalidade agitada e produtiva de Kuyper, finalizamos com as palavras de Bruijn:

> Em suma, Kuyper era imprevisível, não era um personagem fácil de entender. Tinha uma personalidade

[11] Algumas partes da vida de Kuyper — suas crises de esgotamento, seu casamento, seus filhos e outras questões — não foram escritas aqui para manter o foco em nosso interesse introdutório. Para biografias, ver DULCI, "Introdução"; BRATT, *Abraham Kuyper*; DE BRUIJN, *Abraham Kuyper*.

> complexa, com múltiplas camadas e muitas vezes tendências, desejos e sentimentos mutuamente opostos. Em vários aspectos, era uma pessoa dividida e perturbada, que não vivia tranquilamente e enfrentava períodos de depressão profunda. No entanto, sua fé deu-lhe força. Essa fé manifestava-se por um lado como um desejo místico, e por outro lado como um desejo incessante, quase compulsivo de trabalho e devoção à realização de seus ideais.[12]

Nas muitas páginas acerca da vida de Kuyper, fica evidente uma das marcas distintivas da tradição neocalvinista, a saber, o engajamento público a partir de um ponto de partida declaradamente religioso.

[12] De Bruijn, *Abraham Kuyper*, "Introduction".

2

O desenvolvimento teológico em Bavinck

Uma visão panorâmica e satisfatória da tradição exige a exposição, ainda que breve, de alguns dos principais atores que contribuíram para sua expansão. Para tanto, é indispensável falarmos sobre o desenvolvimento teológico do neocalvinismo realizado por Bavinck, que em muitos sentidos sucedeu Kuyper.

Bavinck (1854–1921) nasceu na Holanda e, contemporâneo de Kuyper, foi um importante expoente do neocalvinismo. Seu pai era pastor da Igreja Cristã Reformada, denominação criada em 1834 após a separação da igreja estatal reformada, a *Hervormde Kerk*. Foi estudar na Universidade de Leiden, que à época era a mais prestigiada no campo da teologia no contexto holandês. Finalizou seus estudos doutorais em 1880 com destaque acadêmico, recebendo seu título com honra (*summa cum laude*) após defender sua tese sobre "A ética de Zuínglio".

Depois de completar os estudos formais, tornou-se ministro da mesma denominação de seu pai e, pouco depois, com 28 anos de idade, em 1883, foi chamado para ser professor de dogmática, ética e filosofia na Universidade de Teologia de Kampen. Após recusar alguns convites da Universidade Livre de Amsterdã, finalmente aceitou, em 1902, ser o professor que substituiria Kuyper na cadeira de teologia dogmática. À semelhança de Kuyper, Bavinck proferiu em 1908 as Palestras Stone em Princeton, que posteriormente foram transformadas no livro *A filosofia da revelação*.

O teólogo Bavinck, apesar de não tão assíduo na política como Kuyper, também participou da vida pública e teve seu reconhecimento nacional: foi membro da Academia Real de Ciências em 1906 e eleito senador (na Casa Alta) da Holanda em 1911, além de substituir Kuyper como líder do Partido Antirrevolucionário por ocasião da eleição em 1905.

Por seu repertório e dedicação como professor, suas obras e palestras alcançaram prestígio acadêmico. Entre suas principais obras estão a *Dogmática reformada*, em quatro volumes, e a *Filosofia da revelação*. Ambas demonstram a amplitude do pensamento de Bavinck, sobretudo ao relacionar a tradição filosófica a seu empreendimento teológico-dogmático. Bavinck morreu em 1921 em Amsterdã.[1]

Para além de sua biografia, importante é vermos sua participação no neocalvinismo, que em muito se deu por afinidade intelectual, uma vez que o desejo do teólogo antes mesmo do contato com Kuyper era o de incorporar o que há de bom na espiritualidade pietista dentro do contexto da modernidade, e na "cosmovisão trinitária neocalvinista" ele encontrou sua resposta.[2] Dessa forma, em sua participação no Partido Antirrevolucionário, na Universidade Livre de Amsterdã, na política da época e em suas publicações, demonstrava compartilhar muitos ideais com Kuyper e outros contemporâneos. Como resultado dessa aproximação, acabou sendo reconhecido como um dos principais autores da tradição.

O autor Nelson D. Kloosterman comenta que o que se pode dizer de "neo" no neocalvinismo de

[1] Algumas breves biografias disponíveis gratuitamente de Bavinck são VENEMA, "Herman Bavinck"; e TANGELDER, "Dr. Herman Bavinck 1854-1921, Theologian of the Word".

[2] BAVINCK, *Dogmática reformada*, vol. 1, p. 15.

Bavinck era sua forma de conduzir a teologia aos novos dilemas da modernidade a partir de seu repertório filosófico e científico:

> Ao aplicar o calvinismo a esses problemas modernos, Bavinck evitou argumentações simplistas, fundamentalistas. Ele conhecia bem tanto a história da doutrina reformada quanto a história de seus oponentes. Sua familiaridade astuta com a filosofia e as teorias científicas de sua época levou a uma avaliação delas que era incomumente equilibrada e nuançada. Em vez de isolar a teologia das questões filosóficas quentes de sua época, Bavinck procurou integrá-las a sua revigorada formulação da doutrina e vida reformada.[3]

Assim, podemos afirmar a importância de Bavinck para o desenvolvimento da teologia neocalvinista, principalmente por meio da cadeira de dogmática que ocupou na Universidade Livre e por meio da afinidade teórica de sua teologia em relação à teologia de Kuyper.

[3] Kloosterman, "The Legacy of Herman Bavinck".

3

O prosseguimento filosófico de Dooyeweerd

Como Bavinck, o jurista e filósofo Dooyeweerd também foi fundamental para a formação do neocalvinismo. Apesar de não ser contemporâneo nem de Kuyper nem de Bavinck, "o trabalho filosófico de Dooyeweerd é simplesmente inconcebível sem o fundamento do trabalho de Kuyper".[1] Portanto, Dooyeweerd representa uma segunda geração de autores que pertencem à tradição e que deram continuidade ao pensamento neocalvinista.

Herman Dooyeweerd (1894–1977) nasceu na cidade de Amsterdã, de família reformada, cujo pai havia recebido forte influência das ideias de Kuyper. Após terminar o ensino fundamental, decidiu-se por estudar direito na Universidade Livre de Amsterdã em 1912, na qual permaneceu

[1] Bartholomew, *Contours of the Kuyperian Tradition*, p. 254.

até finalizar seu doutorado no ano de 1917, com a tese "O gabinete ministerial no direito constitucional holandês".

Depois de concluir o doutorado, Dooyeweerd trabalhou como servidor público (escrivão legislativo) até se aprofundar em seus estudos na história da filosofia, com o objetivo de compreender melhor as demandas de seu tempo. Em 1922, tornou-se diretor do Instituto Kuyper, um órgão de pesquisa do Partido Antirrevolucionário, no qual elaborou algumas de suas principais ideias dentro do campo do direito e da filosofia.

Quando tinha por volta de 32 anos, foi chamado para ser professor na faculdade de direito da Universidade Livre de Amsterdã, onde permaneceu até sua aposentadoria. Durante esse tempo, publicou muitos artigos e livros, que culminaram em sua *magnus opus* intitulada *De Wijsbegeerte der Wetsidee* [Filosofia da ideia da lei], publicada em 1935 em três volumes. A obra foi traduzida e revisada para o inglês como *A New Critique of Theoretical Thought* [Uma nova crítica do pensamento teórico], em quatro volumes. Dooyeweerd continuou sua produção acadêmica até o final de sua vida, tendo falecido em 1977.[2]

Tanto em sua obra principal quanto em todo seu empreendimento filosófico, Dooyeweerd foi um autor comprometido a mostrar como todo pensamento teórico tem uma base religiosa, ainda que se localize fora de qualquer tradição religiosa formal. Seu objetivo era o de demonstrar a validade do ponto de partida religioso, sobretudo cristão, no fazer filosófico. Além disso, desejava oferecer uma filosofia que resistisse ao reducionismo das formulações da antropologia filosófica. Suas influências neokantianas e fenomenológicas deram-lhe um ferramental filosófico capaz de tecer análises à altura de seus interlocutores da filosofia.

Desse modo, o filósofo holandês argumentava que toda a tradição filosófica se apoia num dogma, a saber, o dogma da autonomia e neutralidade da razão. Mesmo as filosofias de cunho não racionalistas estão, em última análise, ancoradas em tal dogma. Isto é, uma vez que a tradição

[2] Para outras informações biográficas, ver Reichow, "A filosofia reformada de Herman Dooyeweerd e suas condições de recepção no contexto brasileiro".

filosófica considerava a razão como ponto de partida do pensamento por excelência,[3] não admitia a possibilidade de qualquer outro elemento que pudesse ser anterior à razão (pretensamente neutra) para a realização da atitude teórica do pensamento. Para Dooyeweerd, nem Kant, ao fundar a filosofia da crítica transcendental, nem Husserl, ao criticar severamente o conhecimento, "fizeram da atitude teórica do pensamento um problema crítico", pois "partiram da autonomia do pensamento teórico como axioma que não precisa de justificação".[4]

Dooyeweerd entendia que há uma base religiosa sobre todo pensamento teórico. Em sua perspectiva, partindo do dogma da autonomia da razão, o verdadeiro ponto de partida do pensamento que "rege sua maneira de colocar os problemas filosóficos" estaria mascarado, uma vez que até mesmo

[3] Poderíamos aqui indagar se, por exemplo, uma epistemologia empirista não seria contrária ao argumento de Dooyeweerd. No entanto, sua crítica também a contempla, já que até mesmo para formular o lugar central da experiência sensorial no conhecimento é preciso o uso da razão — e, nesse caso, outro uso injustificado do axioma da autonomia da razão.

[4] Dooyeweerd, *No crepúsculo do pensamento ocidental*, p. 46

a razão encontra sua origem fora de si mesma.[5] Nesse sentido, Dooyeweerd afirma que a origem do pensamento humano é de ordem religiosa, pois está localizada num nível "suprateórico", no coração humano, não em sua razão. Em outras palavras, as pressuposições humanas adquirem sua fonte fora da atitude teórica do pensamento — em suas convicções últimas (suprateóricas).

Nessa direção, Dooyeweerd também chama a atenção para a tradição cristã (para a patrística em Agostinho[6] ou o pensamento reformado em Calvino,[7] e mesmo para o neocalvinismo em Kuyper e Bavinck), que postula uma antropologia em que a humanidade é inerentemente religiosa.

[5] Ibid., p. 47.

[6] "Todavia, esse homem, particulazinha da criação, deseja louvar-vos. Vós o incitais a que se deleite nos vossos louvores, *porque nos criastes para Vós e o nosso coração vive inquieto*, enquanto não repousar em Vós" (Agostinho, *Confissões*, p. 27, grifo nosso).

[7] "Que existe na mente humana, e na verdade *por disposição natural*, certo senso da divindade [*sensus divinitatis*], consideramos como além de qualquer dúvida. Ora, para que ninguém se refugiasse no pretexto de ignorância, *Deus mesmo infundiu em todos certa notação de sua divina realidade*" (Calvino, *As Institutas*, vol. 1, p. 47, grifo nosso).

Pela complexidade e vastidão da obra desse autor, iremos nos ater aos breves apontamentos acima. Outros aspectos de sua filosofia nós exporemos com a devida atenção em outras partes do livro.

4
O lugar da soberania de Deus

Poucos conceitos teológicos foram tão importantes para o neocalvinismo quanto o da soberania de Deus. Nas palavras de Craig Bartholomew: "No coração da tradição kuyperiana está o Deus soberano, que veio até nós em Cristo. A tradição kuyperiana é, portanto, trinitária e cristocêntrica".[1] Não é difícil afirmar, assim, que essa característica teontológica[2] é base fundamental a ser considerada por nós.

Na dimensão teológica, o neocalvinismo é bastante clássico quanto à soberania de Deus. À semelhança de Calvino e de van Prinsterer, Kuyper a considerava indispensável enquanto fundamento da teologia. Junto disso está a aspiração ortodoxa do neocalvinismo, que compreende a Bíblia como

[1] Bartholomew, *Contours of the Kuyperian Tradition*, p. 35.

[2] O termo teontologia se refere aos estudos sobre o ser de Deus. As palavras gregas *theós-óntos-logia* significam o conhecimento teológico sobre o ser de Deus, a partir de sua revelação.

meio confiável de revelação sobre o Deus soberano, que intervém na história humana a fim de se fazer conhecido de forma humanamente compreensível.

Como diz Bavinck: "Os nomes revelados de Deus não revelam seu ser como tal, mas sua acomodação à linguagem humana. A Escritura é linguagem acomodada: ela é completamente antropomórfica".[3] Dessa forma, o tema da soberania de Deus pressupõe a autorrevelação e a confiança na revelação, sobretudo nas Escrituras. Assim, mesmo acomodada à linguagem, a revelação só pode ser confiável se acompanhada da capacidade soberana da divindade em desvelar-se. Ou seja, a revelação é a mostra do "mistério de Deus"[4] pelo próprio Deus.

Por consequência, até mesmo a revelação de outros atributos divinos está sob a base de sua soberania (ou absolutidade): "Como gracioso, misericordioso, justo e santo, Deus sempre nos confronta como Soberano, como o Absoluto, como Deus".[5] Em outras palavras, a soberania divina é

[3] Bavinck, *Dogmática reformada*, vol. 2, p. 97.

[4] Bavinck, *A filosofia da revelação*, p. 76.

[5] Bavinck, *Dogmática reformada*, vol. 1, p. 243.

um fundamento tanto da confiabilidade de sua revelação como de seu próprio ser.

Uma das implicações de tal ideia é que o ser humano, enquanto criatura, será continuamente, em relação a um Deus soberano, um ser dependente. Ainda assim, a revelação de Deus acerca de si mesmo como ser soberano não tem caráter coercitivo, mas gracioso, tendo como objetivo o convite à dependência:

> Deus não coage as pessoas. Sua revelação é uma revelação de graça. E, nessa revelação, Ele não vem às pessoas com mandamentos e ordens, com coerção e punição, mas com um convite, com a admoestação e um argumento para que as pessoas se reconciliem com Ele. Deus pode agir com as pessoas como um soberano. Um dia Ele sentenciará e julgará aqueles que desobedeceram ao evangelho de seu filho. Mas, em Cristo, Ele vem a nós, torna-se como um de nós em todas as coisas e trata conosco como seres racionais e morais para, então, quando encontra hostilidade e descrença, reassumir sua soberania, executar seu conselho e preparar a glória para si mesmo a partir de cada criatura. A autoridade com a qual Deus age na religião, consequentemente, é de um tipo completamente diferente.

Ela não é humana, mas divina. Ela é soberana, mas ainda opera de um modo moral. Ela não recorre à coerção, embora manobre para se manter. Ela é absoluta, mas resistível. Ela convida e pleiteia, mas é invencível.[6]

Além do mais, a tradição neocalvinista compreende que a soberania divina deve ser levada em consideração também para dimensões que extrapolem os contextos eclesiais e teológicos. O neocalvinismo entende a soberania de Deus num sentido bastante amplo, de modo que podemos chamá-la de soberania de âmbito cósmico.

Uma parte do discurso de Kuyper na inauguração da Universidade Livre de Amsterdam em 1880 é bom indicativo dessa perspectiva:

> Ah, não há nenhuma parte de nosso mundo do pensamento que possa ser hermeticamente separada das demais partes; e não há nenhum centímetro quadrado em todo o domínio de nossa vida humana sobre o qual Cristo, que é Soberano sobre todos, não clame: "Meu!".[7]

[6] Ibid., p. 465.

[7] Kuyper, "Sphere Sovereignty", p. 26-7.

Assim, podemos perceber que Kuyper, como homem ligado à Bíblia, está fortemente ancorado nas caracterizações de Deus presentes na revelação: "Deus dos deuses e Senhor dos senhores" (Dt 10.17), "Criador de todas as coisas" (Jr 10.16; Cl 1.3), "Alfa e Ômega" (Ap 22.13), entre outras. Portanto, a ideia bíblica que ampara a soberania de Deus é justamente o que impulsiona o neocalvinismo ao engajamento público, diferenciando a tradição de outras tradições evangélicas e até mesmo de outros calvinistas. Como diz Bratt sobre a avaliação de Kuyper a respeito de outros modos de calvinismo:

> O problema com esse tipo de calvinismo mais introvertido, dizia ele, era que subestimava o valor de Deus. O envolvimento público também fazia parte da ortodoxia calvinista, uma consequência direta da mais profunda das perenidades calvinistas, a soberania de Deus.[8]

Vejamos, então, as implicações da soberania divina na dimensão epistemológica e social, de acordo com a teologia neocalvinista.

[8] Bratt, *Abraham Kuyper*, "Introdução".

Quanto à dimensão do conhecimento (epistemológica), o neocalvinismo sustenta que não se pode confinar o ato soberano da revelação natural (Deus se fazendo conhecido por meio de sua criação) e da revelação especial (em Jesus e nas Escrituras) ao âmbito da espiritualidade humana. A revelação de Deus deve ser considerada o pressuposto epistemológico por excelência, isto é, ela possibilita boa parte do conhecimento humano sobre a realidade.[9] Por isso, a revelação se estende "até os confins da criação".[10] Em última instância, "o próprio mundo está sustentado sobre a revelação: ela é a pressuposição, a fundação, o segredo de tudo aquilo que existe, e em todas as suas formas".[11] Desse modo, a tradição neocalvinista afirma que a soberania divina demonstrada em sua revelação fornece mais do que "o caminho da salvação".[12]

[9] No neocalvinismo, devido à noção da *queda no pecado*, a razão natural não é autônoma nem capaz de obter verdades a não ser por meio da graça comum. Assim, todo e qualquer conhecimento está ancorado na revelação e graça divina.

[10] Bavinck, *A filosofia da revelação*, p. 77.

[11] Ibid., p. 78.

[12] Kuyper, *Sabedoria e prodígios*, p. 84.

Quanto à dimensão social, o neocalvinismo afirma que a soberania de Deus é a fonte para as autoridades humanas e, portanto, para todo tipo de organização social. Isso significa que toda autoridade humana não deriva de si mesma, mas da soberania divina, graciosamente fornecida para a governabilidade terrena. Vale registrar, porém, que a tradição neocalvinista não considera que cada pessoa que se encontra no poder em determinada conjuntura política seja um escolhido de Deus para dominar em nome de sua soberania. Pelo contrário, a afirmação da soberania divina no âmbito das autoridades sociais significa dizer que toda autoridade humana presta contas a Deus — não à igreja, nem a instituições religiosas ou a religiosos.[13] Portanto, com o fim de manter a justiça na sociedade, todo poder governa "pela graça de Deus".[14]

[13] Contra tendências totalitárias do uso da autoridade dada por Deus às pessoas, é importante salientar que Kuyper considerava que "ninguém sobre a terra pode reivindicar autoridade sobre seus semelhantes", e se, pela graça, tiver autoridade sobre alguém, deve obediência última a Deus (KUYPER, *Calvinismo*, p. 91). Dooyeweerd também critica amplamente o totalitarismo que testemunhou nas duas grandes guerras.

[14] KUYPER, *Calvinismo*, p. 90.

5
O lugar da graça comum e da antítese

Tão importante quanto o conceito anterior são as ideias kuyperianas da *graça comum* e *antítese espiritual*. As duas marcam dois polos opostos e complementares da tradição neocalvinista, uma vez que a primeira representa a afirmação de que Deus dispõe de uma graça que alcança a todas as pessoas sem distinção, e a segunda afirma que Deus dispõe de outro tipo de graça que marca a diferença fundamental entre pessoas regeneradas e não regeneradas (crentes e não crentes). Assim, apesar de ambas consistirem na operação graciosa de Deus, o neocalvinismo entende haver uma graça comum e uma graça especial.

A fim de entender a graça comum, é necessário observar o papel conciliador que ela exerce na tradição neocalvinista, principalmente porque seu surgimento está relacionado à vida pública de Kuyper. Como observa Bratt, o desenvolvimento desse conceito está intimamente ligado ao crescimento do envolvimento político de Kuyper:

> A política baseada na fé requer algum denominador comum com pessoas de convicções fundamentalmente diferentes — no mínimo para estabelecer inteligibilidade mútua e respeito pelas regras do jogo, e no máximo para construir coligações sobre questões de interesse comum.[1]

A busca por esse denominador comum encontrou na ação da graça de Deus seu espaço para prosperar. A graça comum é o conceito que se refere àquela ação de Deus que está sobre todas as pessoas e sobre toda a criação, indistintamente. Como exemplo bíblico, podemos citar uma parte do Sermão do Monte, na qual Jesus ensina seus discípulos a agir conforme Deus age com *todos*:

> Eu, porém, lhes digo: amem os seus inimigos e orem por quem os persegue. Desse modo, vocês agirão como verdadeiros filhos de seu Pai, que está no céu. Pois ele dá a luz do sol tanto a maus como a bons e faz chover tanto sobre justos como injustos.
>
> Mateus 5.44-45

[1] Bratt, *Abraham Kuyper*, cap. 10.

Assim, a graça comum se derrama em benefício de todas as pessoas, independentemente de seu destino espiritual. Essa graça é, acima de tudo, uma forma de preservação da humanidade e da criação diante do poder degenerativo do pecado.

Podemos verificar a mesma noção presente em Calvino, segundo o qual a perversidade da natureza é "refreada" por Deus — ainda que não purifique interiormente o ser humano. Contudo, indo além da mera preservação, Calvino também ressalta que a melhor maneira de explicar a bondade e as virtudes presentes na humanidade é por meio da graça de Deus, e não da subestimação da extensão da queda no pecado: "esses não são dotes comuns da natureza, mas graças especiais de Deus, que *ele* dispensa, variadamente e em medida certa, a homens de outra sorte profanos".[2]

Dessa forma, Calvino não abandona a ideia de depravação humana e, ao mesmo tempo, confirma o caráter gracioso de Deus. Por isso, ao desenvolver a doutrina da graça comum, Kuyper cita o fator conciliador do calvinismo:

[2] CALVINO, *As Institutas*, vol. 2, p. 61.

> O Calvinismo se opôs a esta concepção sobre a condição moral do homem caído, por um lado, tomando nossa concepção de pecado no sentido mais absoluto e, por outro, explicando aquilo que é bom no homem caído por meio do dogma da *graça comum*.[3]

Em outras palavras, podemos dizer com Bratt que "a doutrina da graça comum resgatou a ortodoxia reformada ao ver as virtudes do não regenerado como frutos da graça soberana de Deus".[4]

Com vistas a aprofundar o tema da graça comum, podemos afirmar que tal doutrina representa dois meios de glorificar a Deus: primeiro, após a queda no pecado, Deus intervém a fim de retardar a morte, que é consequência do pecado. Caso contrário, a vida seria improdutiva e não virtuosa, impossibilitando a formação cultural e social. Ou seja, a graça comum funciona inicialmente como inibidor das consequências naturais do pecado. Segundo, ao analisar o texto bíblico de Gênesis, Kuyper percebe que, após o dilúvio (Gn 9), inicia-se a necessidade urgente de cultura

[3] Kuyper, *Calvinismo*, p. 130.

[4] Bratt, *Abraham Kuyper*, cap. 10.

— significando aqui "agricultura, manufatura, vida em cidade, música e artes, e tudo mais que marque o florescimento humano"[5] —, providenciada por Deus pela graça comum ao propiciar habilidades às pessoas com o objetivo de promover o desenvolvimento humano. Isto é, no segundo meio, a graça comum provê o necessário para o avanço da criação, sobretudo para a vida social.

Em resumo, a graça comum tanto cumpre um papel de *preservação* da criação quanto oferece gratuitamente os potenciais para o *desenvolvimento* da criação e o florescimento humano. Por essa razão, o neocalvinismo também relaciona a graça comum com a tarefa humana geral dada por Deus para produzir cultura e cuidar da criação. Essa ideia é chamada de *mandato cultural* (por vezes chamada de mordomia cristã), que, ainda que estabelecida como ordem criacional pré-queda, permanece no pós-queda sustentada pela graça comum. Como explica Bratt:

> [Kuyper] começou por retornar ao mandato cultural. Deus dotou a humanidade de habilidades com

[5] Ibid.

um propósito, e a graça comum foi o meio pelo qual essa intenção não foi frustrada pela queda. Todos os poderes latentes na criação e na natureza humana podiam e deviam ainda desdobrar-se, mais lenta e erraticamente do que se não houvesse pecado, mas não menos progressivamente. Tratava-se de um convite para celebrar os feitos do século na ciência e na tecnologia, e Kuyper não o deixou passar.[6]

Dessa maneira, obtém-se o subsídio teórico para afirmar a ação contínua de Deus nos tempos presentes da história humana, que por meio da graça comum (com dons, talentos e virtudes) possibilita que todo tipo de pessoa participe do mandato cultural como mordomos da criação.[7] Como exemplo, Kuyper cita a capacidade intelectual e brilhantismo de homens como Platão, Aristóteles, Kant e Darwin — alvos da graça comum.

Em contrapartida, no neocalvinismo encontramos uma forte ênfase na ideia de uma antítese espiritual, que diferentemente do conceito anterior é causada pela ação da graça especial. Assim, a antítese encontra-se na dimensão espiritual da

[6] Ibid.

[7] Bacote, "Introdução", p. 24.

pessoa humana, que se torna diferente da pessoa não regenerada em virtude do ato regenerador de Deus pela efetivação da graça especial, "aquela que salva o pecador e que, consequentemente, se estende somente aos eleitos".[8]

Nesse sentido, podemos afirmar a importância do *novo nascimento* ou da *regeneração* para essa tradição, pois o conceito da antítese espiritual depende da compreensão teológica acerca da ação do Espírito Santo que resgata a natureza humana de sua condição naturalmente distante de Deus. Com efeito, tal ação do Espírito é a condução das pessoas a Jesus Cristo, a qual é "mencionada na Escritura [...] especialmente pelos nomes de 'iluminação' e 'regeneração' [...] (2Co 4.6; Jo 3.5)".[9]

Assim como todo o conteúdo explorado até aqui, essa noção também é antiga, remontando à tradição cristã que desde seus primórdios admite a existência da oposição entre crença e incredulidade, entre cristão e não cristão. Em Agostinho, por exemplo, podemos encontrar o princípio da antítese em sua compreensão sobre o decorrer da

[8] Kuyper, *Sabedoria e prodígios*, p. 83.

[9] Bavinck, *Dogmática reformada*, vol. 1, p. 348.

história humana, a qual possui dois fundamentos antitéticos: a cidade de Deus e a cidade dos homens. Do mesmo modo, a tradição neocalvinista postula que na raiz de todo empreendimento humano está a fé em Deus ou a incredulidade. Kuyper nota que "esse ponto encontra-se na antítese entre tudo que é finito em nossa vida humana e o infinito que se encontra além dela".[10] Sendo assim, o ponto da antítese "não é secundário, mas imperativo".[11]

Entretanto, a fim de entendermos a razão de tamanha preocupação com a questão da antítese espiritual, convém atentarmos para o seguinte: o neocalvinismo considera que toda visão de mundo (*Weltanschauung*, ou cosmovisão) encontra "seu ponto de partida em uma interpretação especial de nossa relação com Deus".[12] Isto é, o elemento primário que constitui uma cosmovisão é sua maneira de responder à questão da relação humana com Deus. Assim, levando em conta que o pecado separa a humanidade de Deus, o neocalvinismo entende que a cosmovisão

[10] KUYPER, *Calvinismo*, p. 28-9.

[11] Ibid., p. 28.

[12] Ibid.

cristã só é obtida por meio do restabelecimento da relação humana com Deus (regeneração).[13] Por isso, a visão de mundo cristã se encontra em antítese a qualquer outra visão de mundo, causando divergências interpretativas sobre variados temas. Como ilustração, podemos citar o tema da cosmogonia:

> Os cristãos viam o mundo como tendo caído em pecado e, portanto, como "anormal" (i.e., estando em contradição com ou fora da marca estabelecida por suas próprias normas); outros consideravam o mundo como tendo evoluído naturalmente do seu estado original e, portanto, como "normal" (em sintonia com ou fervendo sob o seu próprio poder rumo ao que deveria ser).[14]

Nessa citação, Bratt se refere às afirmações de Kuyper sobre a divergência interpretativa entre a

[13] Bartholomew comenta que a regeneração também tem outros efeitos. Primeiro, faz do regenerado um participante ativo na *Missio Dei*. Segundo, a obra da regeneração é uma representação do que ocorrerá na consumação dos tempos: a restauração da criação, assim como ocorreu a restauração do indivíduo regenerado (*Contours of the Kuyperian Tradition*, p. 32).

[14] Bratt, *Abraham Kuyper*, cap. 10.

cosmovisão dos "anormalistas" e dos "normalistas", resultante da antítese espiritual.[15]

Portanto, apesar de destacar e celebrar a graça comum, que serve como terreno comum entre crentes e não crentes, a tradição neocalvinista também supõe a existência de uma oposição entre eles no que se refere à condição espiritual e à visão de mundo.

É digno de nota que Dooyeweerd expandiu o conceito de antítese dentro de sua atuação no campo filosófico. Em suas investigações, Dooyeweerd utiliza o conceito para elaborar uma crítica que propõe desvelar o caráter supostamente neutro do pensamento humano, propondo haver uma raiz espiritual, não falseável e pré-teórica em toda teorização humana.

Nesse ponto, encontramos uma das importantes descontinuidades dentro da tradição neocalvinista: ao levar às últimas consequências a raiz espiritual do pensamento humano, Dooyeweerd considera que as cosmovisões resultam do conteúdo espiritual do coração, as quais se encontram

[15] Moreira, "Abraham Kuyper e as bases para uma teologia pública", p. 108.

num nível pré-teórico, não podendo ser entendidas como um conjunto de crenças teóricas, como pensavam Kuyper e Bavinck.

Assim, a principal implicação é a incompatibilidade radical entre a cosmovisão cristã e não cristã, uma vez que ambas se encontram no âmbito espiritual pré-teórico, sem possibilidade de uma síntese — ação característica do âmbito teórico do pensamento humano. Diferentemente das sínteses teóricas em que os opostos se transformam numa unidade mais elevada, não se pode sintetizar disposições espirituais divergentes.[16] Por essa razão, a solução para a antítese espiritual ocorrerá somente na redenção escatológica do mundo, pois ela durará "até que o Reino de Deus triunfe e Deus seja tudo em todos como o resultado da redenção de Jesus Cristo".[17]

Podemos concluir, então, que o neocalvinismo tanto reconhece a diferença espiritual que marca

[16] Dooyeweerd (*Raízes da cultura ocidental*) chama de pseudossínteses àquelas tentativas de unir o ponto de partida cristão e não cristão, como ocorreu na escolástica, que tentou sintetizar o ponto de partida grego-aristotélico com o bíblico.

[17] Kalsbeek, *Contornos da filosofia cristã*, p. 130.

profundamente as pessoas quanto promove um terreno comum gerido por Deus através de sua graça comum, a qual possibilita a convivência social em harmonia e o desenvolvimento da criação.

6
O lugar da cosmovisão calvinista

Na tradição neocalvinista, o conceito de cosmovisão parece servir como uma ferramenta para expressar a noção abrangente desse cristianismo calvinista que não aceita sua delimitação somente ao campo da espiritualidade ou da igreja. Isso significa dizer que a ênfase na cosmovisão é o principal elemento que diferencia o neocalvinismo dos "calvinistas da América do Norte e de outros lugares, que se preocupavam mais com as questões teológicas, como a doutrina da predestinação".[1] Ainda assim, convém notar que o termo cosmovisão nasceu num contexto da filosofia crítica de Kant, e, portanto, nada tinha a ver com um sentido religioso. Seu primeiro uso ocorreu na obra kantiana *Crítica do juízo* (1790), que na língua alemã aparecia como *Weltanschauung*. *Grosso modo*, significava para

[1] Koyzis, *Visões & ilusões políticas*, p. 274.

Kant "simplesmente a percepção do mundo pelos sentidos".[2]

Tendo isso em mente, é possível afirmar que o termo cosmovisão era o resultado da própria cosmovisão de Kant, uma vez que seu idealismo enfatizava a *percepção* que o entendimento humano possui da realidade, e não a realidade em si mesma. Ou seja, o idealismo filosófico de Kant postulava que o conhecimento disponível a nós se restringe ao chamado "mundo fenomênico", que equivale ao modo como as coisas se apresentam à nossa percepção, e não ao "mundo numênico", o modo como as coisas supostamente seriam em si mesmas, em sua essência.

Portanto, o surgimento do termo ocorre à medida em que se estabelece uma mudança no interior da filosofia moderna, quando o "ponto de partida" passa da "*ontologia* — a natureza do mundo à nossa volta — para a *epistemologia* — como *nós* vamos saber sobre algo para então confiarmos nos resultados do processo de conhecer".[3] Dessa maneira, podemos dizer que o termo "cosmovisão" se

[2] Naugle, *Cosmovisão*, p. 94.

[3] Bartholomew, *Contours of the Kuyperian Tradition*, p. 103.

localiza "na virada para a autonomia humana claramente evidente na filosofia de Kant e de outras filosofias do Iluminismo".[4] Porém, da perspectiva de Bartholomew, a ordem inversa (a ontologia precedendo a epistemologia) apresenta mais compatibilidade com a visão de mundo bíblica[5] adotada pelo neocalvinismo:

> De uma perspectiva cristã, foi uma mudança significativa. Deveríamos começar pela ontologia — este é o mundo de nosso Pai, e nós somos criaturas feitas à sua imagem — e depois passar à epistemologia — sendo suas criaturas, como é que conhecemos verdadeiramente este mundo?[6]

Posto isso, veremos em seguida que a apropriação neocalvinista do termo subverte sua lógica inicial.

[4] Ibid.

[5] Essa discussão pode nos levar a indagar se, baseados no conhecimento da revelação de Deus para afirmar tal ordem (da ontologia para a epistemologia), esses autores não estariam invertendo-a em princípio. James Sire, prevendo essa crítica, diz que, em termos de cosmovisão, se há um agente revelador, este também a precede ontologicamente (SIRE, *Dando nome ao elefante*, p. 101-102).

[6] BARTHOLOMEW, *Contours of the Kuyperian Tradition*, p. 103.

Cosmovisão em Kuyper

O conceito de cosmovisão em Kuyper está intimamente relacionado com a obra do teólogo James Orr intitulada *A visão cristã de Deus e do mundo* (1893). Até onde se consegue rastrear, Orr foi o primeiro teólogo a elaborar o termo alemão *Weltanschauung* numa perspectiva cristã.[7] Para ele, a fé cristã oferecia um ponto de partida fixo capaz de formar uma visão de vida sistematizada, como um "todo ordenado".[8]

Ainda que Kuyper tivesse conhecimento da existência da ideia de cosmovisão na filosofia, foi só depois da leitura da obra de Orr, pouco antes das Palestras Stone em Princeton (1898), que o teólogo holandês elaborou o conceito de cosmovisão calvinista. A partir da influência de Orr, Kuyper usa o termo "sistema de vida" para traduzir e conceituar o termo alemão para o inglês.

[7] James Orr compreendia que a cosmovisão cristã deveria ser cristocêntrica, pois o compromisso do crente com Jesus o leva a visões de Deus, da humanidade, do pecado, da redenção etc., que juntas formariam uma cosmovisão ordenada.

[8] Naugle, *Cosmovisão*, p. 33.

Kuyper argumentava em favor do calvinismo como um *princípio* suficiente para "satisfazer as condições" de uma cosmovisão, por sua vez capaz de combater a cosmovisão modernista. Ao que parece, Kuyper desejava oferecer com o conceito um instrumento que levasse em conta sua visão abrangente da fé calvinista.

Quanto às condições ditas acima, Kuyper afirma que todo "sistema de vida" deve apresentar certo discernimento acerca de três relações fundamentais do ser humano, a saber, a relação com Deus, a relação com as pessoas e a relação com a criação. Isto é, o modo como cada forma de vida responde às três relações expõe sua respectiva visão de mundo.

Porém, como a afirmação da inerência da religiosidade no ser humano é indispensável para Kuyper, a primeira relação se torna o ponto central para a determinação de uma cosmovisão. Por isso, uma "interpretação especial de nossa relação com Deus" seria o "ponto de partida" de um sistema de vida.[9] Uma cosmovisão sempre deriva da fé, mesmo aquelas que não declaram crença

[9] Kuyper, *Calvinismo*, p. 28.

em Deus.[10] Nesse sentido, as diferenças entre as visões de mundo consistem, primeiramente, em seus diferentes objetos de crença.

Em comparação com a cosmovisão do paganismo, do islamismo, do romanismo e do modernismo, Kuyper expõe a tese de que o calvinismo responde mais adequadamente às três relações fundamentais:

> Para nossa relação com Deus: uma comunhão imediata do homem com o Eterno, independentemente do sacerdote ou igreja. Para a relação do homem com o *homem*: o reconhecimento do valor humano em cada pessoa, que é seu em virtude de sua criação conforme a semelhança de Deus, e portanto da igualdade de todos os homens diante de Deus e de seu magistrado. E para nossa relação com o *mundo*: o reconhecimento que no mundo inteiro a maldição é restringida pela graça, que a vida do mundo deve ser honrada em sua independência, e que

[10] Para Kuyper, todas as pessoas funcionam "a partir de uma estrutura cognitiva que por si só não foi estabelecida pela razão ou pela ciência", mas pela fé (Bratt, *Abraham Kuyper*, cap. 10). Dito de outro modo, Kuyper crê que "todo conhecimento provém da fé de uma forma ou de outra" (Kuyper, "Sphere Sovereignty", p. 22).

devemos, em cada campo, descobrir os tesouros e desenvolver as potências ocultas por Deus na natureza e na vida humana. Isto justifica plenamente nossa declaração de que o Calvinismo pode responder às três condições acima mencionadas e assim está incontestavelmente autorizado a tomar sua posição ao lado do Paganismo, Islamismo, Romanismo e Modernismo, e a reivindicar para si a glória de possuir um princípio bem definido e um sistema de vida abrangente.[11]

Cosmovisão em Bavinck

A exemplo de Kuyper, Bavinck afirma que a realidade de Deus, da humanidade e do mundo são três realidades às quais toda cosmovisão deve prestar contas. Assim, a depender do arranjo entre essas relações, surgem as diferentes visões de mundo e de vida. Novamente como Kuyper, Bavinck preferiu usar o termo "visão de mundo e de vida" na tradução do alemão *Weltanschauung*. Até mesmo pela proximidade temporal e terminológica, a concepção de cosmovisão em Bavinck não diverge do precursor do neocalvinismo, a

[11] KUYPER, *Calvinismo*, p. 40.

não ser em sua ênfase maior em relação à *criação* de Deus.[12]

Ao que tudo indica, o teólogo utilizava a ideia de cosmovisão também como forma de indicar a harmonia oferecida pelo calvinismo entre sujeito-objeto, ser-pensamento e Deus-mundo, contrapondo o universo intelectual por ele observado, cujas ciências comumente criavam um abismo "entre Deus e o mundo, e, subjetivamente, também no homem — entre seu intelecto e seu coração, sua fé e seu conhecimento".[13] Para Bavinck, tais abismos (ou dualismos) são sintomas advindos das cosmovisões que falham em compreender a forma como Deus se relaciona com sua criação. Assim, o dualismo (em qualquer forma que ganhe) representa um equívoco cosmovisionário, por assim dizer.

A fim de oferecer uma resposta mais apropriada ao tema da cosmovisão, Bavinck defende uma

[12] Bavinck também é responsável por elaborar de forma mais detalhada o tripé criação-queda-redenção em sua obra de teologia sistemática. Muitos neocalvinistas posteriores adquiriram maior substrato teológico para afirmar uma compreensão da realidade por meio da criação, queda e redenção.

[13] Bavinck, *A filosofia da revelação*, p. 129.

"cosmovisão baseada na criação"[14] e a compara com o panteísmo e o materialismo: enquanto o panteísmo via o mundo como um organismo vivo e o materialismo o via como mero mecanismo, as Escrituras o apresentam como singular, diverso, distinto de Deus e do homem. Portanto, "como resultado dessa cosmovisão, o Cristianismo superou tanto o desprezo pela natureza quanto sua deificação".[15] Além disso, Bavinck diz:

> Essa é a cosmovisão da teologia cristã em sua inteireza. O mundo é um corpo com muitos membros. Nas obras dos pais da igreja, a unidade, ordem e harmonia presentes no mundo são uma prova poderosa da existência e da unidade de Deus. Deus é o centro, e todas as criaturas estão agrupadas em círculos concêntricos e em uma ordem hierárquica ao seu redor.[16]

As implicações da cosmovisão baseada na criação ressoam também na compreensão sobre a humanidade. Para Bavinck, a teologia da criação

[14] Bavinck, *Dogmática reformada*, vol. 2, p. 444.

[15] Ibid., p. 447.

[16] Ibid., p. 446.

descarta qualquer "teologia egoísta" que defenda uma perspectiva antropocêntrica da realidade, pois afirma que todas as coisas foram criadas com um "propósito máximo" de glorificar a Deus, sem espaço para a subvalorização ou supervalorização da humanidade.[17]

Como resumo da perspectiva da cosmovisão baseada na criação, podemos ecoar estas palavras de Bavinck:

> Aqui, portanto, há lugar para amor e admiração da natureza, mas toda deificação é excluída. Aqui um ser humano é colocado em relação correta com o mundo porque foi colocado em relação correta com Deus. Por essa razão também a criação é o dogma fundamental: ao longo de toda a Escritura ela está em primeiro plano e é a pedra fundamental sobre a qual se apoiam a antiga e a nova alianças.[18]

Cosmovisão em Dooyeweerd

Na obra do filósofo holandês, o conceito de cosmovisão calvinista começa a sofrer algumas descontinuidades, apesar de carregar o mesmo ponto de

[17] Ibid., p. 447-8.

[18] Ibid., p. 447.

partida teísta-trinitário e bíblico. Devido a seu *background* filosófico, Dooyeweerd traz contribuições ímpares para a tradição neocalvinista, sobretudo por realizar a distinção entre a dimensão *teórica*, a que as ciências pertencem, a dimensão *pré-teórica*, onde se localizam as cosmovisões, e a dimensão *suprateórica*, em que se encontram as certezas últimas do coração humano.[19]

Diferentemente de Kuyper e Bavinck, que se preocuparam em demonstrar a abrangência da fé calvinista por meio da cosmovisão, Dooyeweerd procura compreender como a dimensão religiosa é ainda mais determinante e profunda no ser humano do que pensavam seus antecessores:

> Dooyeweerd não conclui que toda filosofia e toda teoria são necessariamente pré-condicionadas pela herança histórica e cultural de alguma cosmovisão. Em vez disso conclui que a única (e necessária)

[19] Essa distinção entre três atitudes (teórica, pré-teórica e suprateórica) corresponde, respectivamente, (a) ao modo de realizar abstrações teóricas a partir da experiência pré-teórica; (b) à forma ingênua de estar-no-mundo, onde se experienciam totalidades (pessoas e coisas); (c) aos compromissos últimos da fé. Ver Dooyeweerd, *No crepúsculo do pensamento ocidental*, p. 44.

precondição da filosofia e da teoria são as condições e compromissos últimos do coração humano, que caiu em pecado e que, ou ainda está nessa condição, ou foi renascido e restaurado pelo Espírito de Deus. Assim, não existe nenhum pluralismo histórico de cosmovisões na base da filosofia e da teoria, mas apenas dois[20] motivos-base "religiosos" em oposição antitética.[21]

Nessa lógica, ainda mais fundo que as cosmovisões (pré-teóricas) está a própria religião (supra-teórica), que se encontra enraizada no coração — o centro existencial da humanidade.[22] Todavia, poderíamos nos perguntar a que tipo de religião Dooyeweerd se refere com tal afirmação. Uma resposta poderia ser:

> Para Dooyeweerd, a religião não é uma área ou esfera da vida, mas a sua raiz, que a envolve completamente e lhe confere direção. É serviço a Deus (ou a um não

[20] Para ser mais exato, é preciso dizer que Dooyeweerd indica a existência de quatro motivos-base religiosos, derivados de duas possibilidades elementares: a comunhão com Deus e a apostasia. Assim, dois motivos-base ditos na citação referem-se às duas raízes e não aos motivos-base dooyeweerdianos.

[21] Jacob Klapwijk, citado em Naugle, *Cosmovisão*, p. 54-5.

[22] Naugle, *Cosmovisão*, p. 57.

> Deus substituto) em cada domínio do empreendimento humano. Como tal, deve ser claramente distinguida da fé religiosa, que é apenas uma das muitas ações e atitudes da existência humana. A religião é um assunto do CORAÇÃO, orientando assim todas as funções humanas.[23]

Dessa maneira, um resultado do pensamento dooyeweerdiano é uma antropologia em que o ser humano é inerentemente religioso e necessitado da comunhão com Deus para que de seu coração fluam novas orientações teóricas sob a luz cristã.

Ademais, Dooyeweerd defende que a orientação religiosa, a qual chamou de "motivo-base religioso", determina até mesmo a visão de mundo dos indivíduos. Por esse motivo, discorda das elaborações de Kuyper e Bavinck, que entendiam a cosmovisão através da elaboração filosófica e, portanto, posterior à teorização. Em vista disso, Dooyeweerd distingue a filosofia das visões de mundo, que correspondem à atitude teórica e à experiência pré-teórica, respectivamente.[24]

[23] WOLTERS, *Criação restaurada*, p. 267.

[24] Os autores que vão nessa linha de raciocínio são NAUGLE e BARTHOLOMEW, nas obras já citadas.

Postas tais considerações, devemos apontar três breves aspectos visando esclarecer a questão da cosmovisão na filosofia dooyeweerdiana. Primeiro, a partir da condição espiritual das pessoas se deduz sua interpretação da realidade e vivência prática, isto é, sua cosmovisão e sua forma de vida. Segundo, cada cosmovisão corresponde ao motivo-base religioso a que pertence e, assim, fornece e move todo o desenvolvimento histórico e cultural de certo grupo que possui a mesma disposição espiritual. Terceiro, a cosmovisão cristã corresponde ao motivo base-religioso presente na Palavra de Deus que se resume na tríade: "criação, queda, redenção por meio de Jesus Cristo em comunhão com o Espírito Santo".[25]

Com relação a seu funcionamento, a noção dooyeweerdiana supõe que o Espírito Santo realize um redirecionamento na raiz espiritual das pessoas (o coração), fazendo-as compreender a realidade por meio de noções pré-teóricas acerca da criação divina, dos efeitos da queda e da redenção do cosmos. Dessa maneira, o cristão adquire por meios transcendentes uma nova forma

[25] Dooyeweerd, *Raízes da cultura ocidental*, p. 26.

de vida e compreensão da realidade (cosmovisão), que inevitavelmente "permeia todas as expressões temporais da vida",[26] inclusive o fazer filosófico.

> Todo pensamento filosófico, portanto, é dirigido consciente ou inconscientemente por motivos religiosos básicos que estão inescapavelmente ligados ao seu ponto arquimediano. Qual o motivo-base deveria controlar o filosofar cristão? Dooyeweerd insiste que a filosofia cristã deveria emergir do *motivo-básico* da *criação, queda e redenção* por meio de Jesus Cristo na comunhão do Espírito Santo.[27]

O papel da cosmovisão no neocalvinismo

Apresentadas as diferentes concepções do conceito, ainda precisamos dizer por que é importante para o neocalvinismo postular a posse de uma cosmovisão verdadeiramente cristã. Isto é, faz-se necessária a verificação do papel da cosmovisão na vida das pessoas, sobretudo cristãs, à luz do neocalvinismo.

Para esse fim, podemos recorrer aos neocalvinistas contemporâneos, que formularam mais

[26] Ibid.

[27] Kalsbeek, *Contornos da filosofia cristã*, p. 56.

clara e objetivamente a função empenhada pela cosmovisão dentro da tradição. Apesar de possíveis divergências internas,[28] recorreremos a Wolters para nos clarear o caminho:

> Qual é o papel que a cosmovisão desempenha na nossa vida? Creio que a resposta a isso seja: a nossa cosmovisão atua como um *guia para a nossa vida*. Uma cosmovisão, mesmo quando é meio inconsciente e inarticulada, atua como uma bússola ou um mapa. Ela nos orienta no mundo em geral, nos dá uma noção do que é positivo ou negativo, do que é certo ou errado na confusão de acontecimentos e fenômenos que nos confrontam. Nossa cosmovisão molda, a um grau significativo, o modo como valorizamos os acontecimentos, os temas e as estruturas

[28] Refiro-me em especial à crítica de James K. A. Smith ao conceito de cosmovisão como é aceito pela maioria dos neocalvinistas, os quais se aproximam da definição dooyeweerdiana. Para Smith, a própria noção de cosmovisão evoca uma compreensão dada pelo entendimento intelectual ou pelas crenças acerca da realidade. Por sua influência agostiniana, prefere usar o termo "imaginário social" a fim de demonstrar a estrutura afetiva e prática que fornece a compreensão da vida nos indivíduos. Assim, a disposição pré-cognitiva do ser humano consistiria no amor e no desejo (não em ideias e crenças). Ver SMITH, *Desejando o reino*, p. 63-71.

da nossa civilização e do nosso tempo. Ela nos permite "classificar" ou "situar" os vários fenômenos que entram no nosso raio de visão.[29]

Nesse sentido, a cosmovisão é como uma plataforma pela qual os indivíduos experimentam a vida. Por consequência, possuir uma cosmovisão cristã é estar imbuído num modo de vida e de compreensão da realidade que condiz com as bases cristãs (no caso, reformadas).

Tendo em vista a breve trajetória do conceito de cosmovisão na tradição neocalvinista, podemos sintetizar sua definição da seguinte forma: a cosmovisão calvinista representa um conjunto de princípios que orienta o cristão em sua compreensão da realidade, tendo como fonte as Escrituras e como base interpretativa a tríade da criação-queda-redenção, enfatizando a soberania divina e um anseio por integração da fé com os variados âmbitos da realidade.

[29] Wolters, *Criação restaurada*, p. 15.

CONCLUSÃO

É possível falar em tradição neocalvinista?

O leitor atento pôde perceber que este livro é apenas uma introdução ao tema do neocalvinismo. Ora mais panorâmico, ora mais aprofundado, com partes mais rápidas e outras mais alongadas, mas ainda assim uma introdução. Por isso, antes de finalizar, peço licença para falar de modo mais pessoal e assim descrever duas pretensões que não tive com esta obra.

A primeira pretensão que não tive é a de apresentar toda a tradição neocalvinista ou todos os seus fundamentos teóricos — que, a esta altura da história, se tornaram amplos demais para o espaço de que dispomos aqui. Isso significa que muitos temas importantes não puderam ser abordados, assim como muitos neocalvinistas não foram sequer mencionados. A vantagem, nesse caso, é que esta leitura se parece mais com uma porta do que com uma casa: serve mais para mostrar que há uma tradição cristã complexa e sofisticada que merece ser descoberta, e menos para esquadrinhar todos os seus cômodos e mobílias.

A segunda pretensão que não tive é a de apresentar a tradição neocalvinista como superior a outras tradições cristãs. Na verdade, o neocalvinismo, assim como outras correntes de pensamento da fé cristã, é importante demais para ser colocado em disputa de modo indevido. A Igreja possui dois milênios de história intelectual que nos impede de eleger uma tradição de menos de dois séculos como acima do restante. Portanto, ao introduzi-la, desejo apenas contribuir para que a tradição neocalvinista faça parte do amplo debate de teologias e filosofias feitas por cristãos, pois até há poucos anos tal tradição não era conhecida o suficiente para figurar nas discussões contemporâneas, principalmente brasileiras, no âmbito da academia e da sociedade.

No entanto, ao me esforçar para introduzir a tradição, posso afirmar que não estou só. Para apontar caminhos dessa porta a ser aberta, posso listar importantes produções e obras sobre o neocalvinismo realizadas na academia do Brasil nos últimos anos. Alguns casos são: a dissertação de Rodomar Ricardo Ramlow sobre o neocalvinismo como um movimento de cosmovisão cristã; a dissertação de Josué Klumb Reichow sobre a filosofia dooyeweerdiana e sua recepção no contexto brasileiro; a dissertação de Vinnícius Pereira de Almeida sobre o que chamou de projeto ético-político do kuyperianismo; a dissertação de Tiago Rossi Marques associando Kuyper com as relações internacionais; o trabalho de pesquisa de Thiago Moreira sobre Kuyper e suas bases para uma teologia pública.[1] Além desses, existem muitos outros trabalhos de dissertação, teses, artigos e livros que não conseguiríamos listar aqui, mas que também podem servir como corredores da casa, guiando a outras portas que levam às salas e aos quartos desconhecidos dessa tradição.

Dito isso, podemos agora caminhar para a conclusão, perguntando-nos se o neocalvinismo de fato pode ser considerado uma tradição — como temos apresentado ao longo do livro. Isto é, devemos questionar o seguinte: o que faz do neocalvinismo uma tradição intelectual cristã, para além de um conjunto de poucos pensadores que possuíam afinidade intelectual?

[1] Ver Referências bibliográficas.

Como vimos, o neocalvinismo deve suas principais ideias aos três nomes apresentados ao longo dos capítulos: Abraham Kuyper, Herman Bavinck e Herman Dooyeweerd. Sem eles não haveria nenhuma singularidade no pensamento teológico, filosófico e político neocalvinista. Porém, é fundamental ressaltar que afirmar o neocalvinismo como tradição depende da identificação de suas referências intelectuais anteriores e de sua continuação, isto é, de seu desenvolvimento posterior. Nesse sentido, podemos mencionar alguns dos nomes mais importantes para o início do neocalvinismo: o teólogo João Calvino (1509–1564), que legou o pensamento calvinista à igreja holandesa onde floresceu o neocalvinismo; o historiador Guillaume Groen van Prinsterer (1801–1876), que serviu como mentor intelectual e político de Kuyper; e o filósofo D. H. Th. Vollenhoven (1892–1978), que juntamente com seu cunhado, Dooyeweerd, desenvolveu a filosofia da ideia cosmonômica.

Do outro lado, devemos citar os sucessores e os contemporâneos, dentre os quais destacamos os seguintes nomes: Craig Bartholomew (teologia e filosofia), Michael Goheen (teologia), David Koyzis (filosofia política e ciência política), James

K. A. Smith (filosofia), Jonathan Chaplin (filosofia política e ciência política), Richard Mouw (teologia), James K. Skillen (filosofia política), Sander Griffioen (filosofia), Albert Wolters (teologia), Roel Kuiper (filosofia política) e Bob Goudzwaard (economia). Além desses, há muitos outros intelectuais de diferentes âmbitos acadêmicos e localidades do mundo que fazem parte da continuação da tradição. Uma tentativa de reunir tais pensadores é a iniciativa do neocalvinista Steve Bishop, no *site* All of Life Redeemed,[2] que agrega textos, notícias, revistas acadêmicas e autores que considera pertencer à tradição.

Diante disso, reconhecemos que a disseminação do pensamento neocalvinista, juntamente com a vasta produção intelectual gerada pelos pensadores que sucederam os primeiros, corroboram com a afirmação de que se trata de uma tradição intelectual cristã, com ramificações disciplinares e conceituais específicas, mas noções

[2] No *site* <allofliferedeemed.co.uk/> pode-se encontrar uma vasta lista de pensadores que Bishop reconhece na tradição. Desde seu início, com van Prinsterer, até os contemporâneos, a lista elenca mais de oitenta intelectuais.

centrais compartilhadas. Portanto, apesar das muitas discordâncias entre os autores, propomos que é possível detectar um tipo de metodologia presente nos neocalvinistas que marca o pensamento da tradição, a qual livremente denominamos *realismo-escriturístico-trinitário*.

Realismo, pois na tradição neocalvinista a questão epistemológica acerca da realidade não é posta em xeque, apesar da influência idealista nos autores principais. Nesse sentido, ainda que não se assemelhe à posição filosófica do realismo-ingênuo, a realidade aqui é entendida como criação de Deus, que foi afetada pelo pecado e aguarda a redenção divina. Assim, o conhecimento da realidade em si mesma se encontra acessível, sobretudo através da capacidade humana (providenciada pela graça comum), da revelação especial e da cosmovisão cristã. Resulta daí um tipo de realismo filosófico cristão.

Escriturístico, pois, com suas raízes reformadas, a tradição neocalvinista recorre ao texto sagrado como regra de fé e meio de sabedoria, do qual conceitos de diversas naturezas são extraídos — ou, em última instância, postos à prova. No entanto, isso não é o mesmo que afirmar que toda a tradição busca seus conceitos na teologia, uma vez que a teologia é o empreendimento teórico próprio da ciência teológica. Portanto, o termo "escriturístico" se refere às Escrituras como fonte amplamente utilizada pela tradição como meio confiável de conhecimento revelado por Deus.

Trinitário, pois na base de seus autores e conceitos se encontra tal ênfase teontológica. A doutrina da Trindade está presente não só nas formulações teológicas, mas também nas filosóficas, exercendo papel central na metodologia neocalvinista e, assim, provocando resultados diferentes de outras tradições cristãs. Portanto, o Deus Trino é considerado pela tradição como soberano, criador e ordenador da realidade cósmica — evidentemente levando em conta que a divindade se acomodou e tornou seu Ser cognoscível na forma da triunidade.

Além da metodologia, podemos afirmar que os principais conceitos que fundamentam a tradição neocalvinista culminam em certa compreensão do mundo e da vida, a qual foi descrita por seus autores como uma *cosmovisão cristã*.[3]

[3] Termo intercambiável com cosmovisão calvinista, visão de mundo reformada ou biocosmovisão calvinista (como utilizou Kuyper).

Por fim, vale dizer que a trajetória que iniciei há alguns anos por meio da leitura da obra de Abraham Kuyper não acabou. Na verdade, considero que agora, depois de muitas leituras e releituras, o neocalvinismo se tornou ainda mais desafiador. O que para mim era somente um conjunto de poucos autores calvinistas dos séculos 19 e 20 localizados na Holanda, se mostra hoje como uma tradição que contribui significativamente para o cristianismo contemporâneo, e que mesmo desconhecida por muitos pode ser encarada como valiosa opção de um cristianismo engajado com os problemas do mundo. Assim, desejo ao leitor que abriu a porta para conhecer o neocalvinismo através deste livro que se aventure por essa formidável tradição intelectual e conheça a fundo os benefícios espirituais que ela pode proporcionar aos cristãos de hoje.

Referências bibliográficas

Agostinho. *Confissões*. Petrópolis, RJ: Vozes, 2015.

Almeida, Vinnícius Pereira de. "O projeto ético-político do kuyperianismo: Apontamentos históricos, teológicos e seu processo de recepção no brasil contemporâneo". Dissertação de mestrado (Ciências da Religião), Universidade Metodista de São Paulo, São Bernardo do Campo, SP, 2019.

Bacote, Vincent E. "Introdução." In: Kuyper, Abraham. *Sabedoria e prodígios: Graça comum na ciência e na arte*. Brasília, DF: Monergismo, 2018.

Bartholomew, Craig G. *Contours of the Kuyperian Tradition: A Systematic Introduction*. Downers Grove, IL: InterVarsity Press, 2017.

Bavinck, Herman. *A filosofia da revelação*. Brasília, DF: Monergismo, 2019.

______. *Dogmática reformada: Prolegômena*, vol. 1. São Paulo: Cultura Cristã, 2012.

______. *Dogmática reformada: Deus e a criação*, vol. 2. São Paulo: Cultura Cristã, 2012.

Bishop, Steve. All of Life Redeemed. <https://www.allofliferedeemed.co.uk/>. Acesso em: 19 de maio de 2021.

Bratt, James D. *Abraham Kuyper: Modern Calvinist, Christian Democrat*. Grand Rapids, MI: Eerdmans, 2013. Edição do Kindle.

Calvino, João. *As Institutas*, vol. 1. São Paulo: Cultura Cristã, 2006.

______. *As Institutas*, vol. 2. São Paulo: Cultura Cristã, 2006.

Carvalho, Guilherme de. "Prefácio." In: Kuyper, Abraham. *O problema da pobreza: A questão social e a religião cristã*. Rio de Janeiro: Thomas Nelson Brasil, 2020.

de Bruijn, Jan. *Abraham Kuyper: A Pictorial Biography*. Grand Rapids, MI: Eerdmans, 2014. Edição do Kindle.

Dooyeweerd, Herman. *No crepúsculo do pensamento ocidental: Estudo sobre a pretensa autonomia do pensamento filosófico*. Brasília, DF: Monergismo, 2018.

______. *Raízes da cultura ocidental*. São Paulo: Cultura Cristã, 2015.

Dulci, Pedro. "Introdução." In: Kuyper, Abraham. *O problema da pobreza: A questão social e a religião cristã*. Rio de Janeiro: Thomas Nelson Brasil, 2020.

Kalsbeek, L. *Contornos da filosofia cristã*. São Paulo: Cultura Cristã, 2015.

Kloosterman, Nelson D. "The Legacy of Herman Bavinck". New Horizons: The Orthodox Presbyterian Church, outubro de 2008. <https://opc.org/nh.html?article_id=577>. Acesso em: 5 de março de 2022.

Koyzis, David T. *Visões & ilusões políticas: Uma análise e crítica cristã das ideologias contemporâneas*. São Paulo: Vida Nova, 2014.

Kuyper, Abraham. *Calvinismo*. São Paulo: Cultura Cristã, 2014.

______. *Het Modernisme een Fata morgana op Christelijk gebied*. Amsterdam: H. de Hoogh & Co, 1871. <https://sources.neocalvinism.org/k-27262-Abraham+Kuyper.+Het+Modernisme+een+Fata+morgana+op+Christelijk+gebied>. Acesso em: 5 de março de 2022.

______. *O problema da pobreza: A questão social e a religião cristã*. Rio de Janeiro: Thomas Nelson Brasil, 2020.

______. *Sabedoria e prodígios: Graça comum na ciência e na arte*. Brasília, DF: Editora Monergismo, 2018.

______. "Sphere Sovereignty (A Public Address Delivered at the Inauguration of the Free University, Oct. 20, 1880)." <http://www.reformationalpublishingproject.com/pdf_books/Scanned_Books_PDF/SphereSovereignty_English.pdf>. Acesso em: 19 de maio de 2021.

Marques, Tiago Rossi. "Abraham Kuyper entre as nações: Diálogo e antítese entre o realismo cristão e o neo-calvinismo holandês nos estudos internacionais." Dissertação de mestrado (Relações Internacionais), Pontifícia Universidade Católica de Minas Gerais, Belo Horizonte, 2019.

McGrath, Alister E. *Teologia sistemática, histórica e filosófica: Uma introdução à teologia cristã*. São Paulo: Shedd Publicações, 2005.

Moreira, Thiago. *Abraham Kuyper e as bases para uma teologia pública: A soberania divina e o desenvolvimento humano nas esferas da existência*. Brasília, DF: Monergismo, 2020.

Naugle, David K. *Cosmovisão: A história de um conceito*. Brasília, DF: Monergismo, 2017.

Ramlow, Rodomar Ricardo. *O neocalvinismo holandês e o movimento de cosmovisão cristã*. Dissertação de mestrado (Teologia), Faculdades EST: São Leopoldo, RS, 2012.

Reichow, Josué Klumb. "A filosofia reformada de Herman Dooyeweerd e suas condições de recepção no contexto brasileiro." Dissertação (Mestrado em Teologia), Faculdades EST, São Leopoldo, RS, 2014.

Sire, James. *Dando nome ao elefante: Cosmovisão como um conceito*. Brasília, DF: Monergismo, 2012.

Smith, James K. A. *Desejando o reino: Culto, cosmovisão e formação cultural*. São Paulo: Vida Nova, 2018.

Tangelder, Johan D. "Dr. Herman Bavinck 1854-1921, Theologian of the Word." Banner of Truth, 1º de março de 2001. <https://banneroftruth.org/us/resources/articles/2001/dr-herman-bavinck-1854-1921-theologian-of-the-word/>. Acesso em: 5 de março de 2022.